GRANDES AMIGOS

*Para Stephen – **LS***

*Para Auntie Jan y los momentos que pasamos pintando en Pondok – **BD***

First published in Great Britain in 2014 by Simon and Schuster UK Ltd, 1st Floor, 222 Gray's Inn Road, London WC1X 8HB
A CBS Company • Text copyright © Linda Sarah 2014 • Illustration copyright © Benji Davies 2014
Título original: On Sudden Hill © De la traducción: Editorial Zig-Zag, 2016. Traducido por A. Schmidt y C. Domínguez.
© De esta edición: Empresa Editora Zig-Zag, S.A. Los Conquistadores 1700, Piso 10, Providencia, Santiago de Chile.
www.zigzag.cl | contacto@zigzag.cl
ISBN: 978-956-12-2880-1
Primera edición, 2016. | Segunda reimpresión, 2017.
 Impreso en China

GRANDES AMIGOS

Linda Sarah y Benji Davies

ZIG-ZAG

Las dos cajas de cartón
son lo suficientemente grandes
como para sentarse y esconderse en ellas.

Todos los días, Benja y Emilio
las suben a la colina y se meten en su interior.

Algunas veces son reyes,
soldados o astronautas.
Otras, son piratas
que navegan mares bravos y cielos.

Y siempre, siempre
son grandes amigos.

Viajan, corren, saltan, vuelan,
conversan y se ríen,
Benja y Emilio.

En silencio
observan cuán pequeño se ve el valle
sintiéndose gigantes
como majestuosos reyes.

A Benja le encanta jugar de a dos.

Pero un lunes
(en que el frío calaba los huesos),
conocen a otro que también tiene una caja
y quiere jugar con ellos.

Es un niño llamado Seba.
Él había observado a Benja y a Emilio todos los días
hasta que por fin encontró una caja bien grande
y el coraje suficiente como para preguntarles si podía unirse a ellos.

Emilio sonrió y dijo: "¡Claro!".
Entonces los tres se sentaron dentro de sus cajas,
a observar a un ave
y a dos nubes perdidas.

A veces son cazadores de dragones,
otras, vecinos del mismo pasaje
y trepadores de rascacielos.

Pero Benja se siente extraño.

Una noche,
Benja aplasta su caja,
salta sobre ella y la rompe en pedazos.

Su papá da un fuerte grito desde la puerta de entrada
para que se quede tranquilo de una vez por todas.

Benja no vuelve más a la colina.

Emilio y Seba
pasan a buscarlo varias veces.
Pero Benja los ignora.

Prefiere quedarse en su casa,
casi siempre dibujando dos cajas,
una al lado de la otra.

Pero extraña a Emilio.
Echa de menos sus castillos de cartón
en la cima de la colina.

Un día,
siente que golpean la puerta.

Oye la voz de Seba:
"¡Te tenemos una sorpresa,
asómate, por favor!".

Lo único que Benja ve
cuando espía tras la cortina
es una caja.

Pero es mucho,
mucho más
que una caja.

Tiene unas cosas pegadas
que brillan y ondean
como volantines.
¡Tiene colores!
¡Tiene sonidos!
Y tiene… ¡RUEDAS!

La ENORME caja con ruedas
(a la que llamaron Bestia Escaladora)
se encumbra colina arriba.

¡Es asombrosa!

¡Una increíble y monstruosa criatura de cartón!

¡Es un cohete supersónico con propulsión a chorro!
¡Un jet *transformer* triple!
¡Un rey esplendoroso y resplandeciente!

Incluso tiene cajas en su interior,
una con galletas y otra con limonadas.

A Benja le cae bien Seba.
Es simpático, divertido,
audaz y valiente.

A Benja le gusta mucho estar con ellos.

Le encanta jugar de a tres.

Es algo nuevo.
Y es bueno.